26 CONTES
DE LA SAVANE

© Éditions Flammarion pour le texte et les illustrations, 2007
© Flammarion pour la présente édition, 2011
87, quai Panhard-et-Levassor – 75647 Paris Cedex 13
ISBN : 978-2-0812-5840-2

JEAN MUZI

26 CONTES
DE LA SAVANE

Illustrations de Frédéric Sochard

Retrouvez un glossaire en fin d'ouvrage

Flammarion Jeunesse

Avant-propos

La savane couvre plus du tiers du continent africain. L'image la plus fréquente qui en est donnée est celle d'une vaste étendue herbeuse, jaunie par le soleil et parsemée d'arbres solitaires comme les acacias*[1], les baobabs* et les fromagers*. Elle n'est pourtant pas uniforme puisqu'il en existe quatre types. La savane arbustive, dominée par de petites plantes et de courtes herbes, avec çà et là des arbustes de taille modeste, et la savane herbeuse, immense étendue d'herbes relativement sèches sans arbres ni arbustes, forment en fait un tout avec deux autres savanes : l'une boisée, caractérisée par la présence d'un grand nombre d'arbres, et l'autre arborée qui possède des arbustes et des arbres moins nombreux.

1. Tous les noms suivis d'un astérisque sont expliqués dans le glossaire en fin d'ouvrage.

Il n'y a que deux saisons dans la savane : la saison sèche et la saison des pluies. Elles se querellent parfois dans les contes. La saison sèche est très chaude. Durant cette période, de vastes étendues sont ravagées par des incendies. Ils peuvent être d'origine naturelle, quand la foudre tombe sur la végétation desséchée, ou bien provoqués par l'homme, quand il veut étendre ses zones de culture. Dès que revient la saison des pluies, les rivières à sec se transforment en véritables torrents. Les plantes fleurissent, et leurs graines sont disséminées par le vent. Les baobabs se gorgent d'eau. La savane reverdit. C'est à cette période que la plupart des animaux sauvages mettent bas.

De nombreuses espèces parcourent librement la savane africaine où vivent aussi différents peuples : les Samburu, les Turkana, les Massaïs... Jadis, les hommes de ces tribus chassaient pour se nourrir. Certains, comme les guerriers massaïs, armés de leur seule sagaie*, devaient tuer un lion pour prouver leur courage. Aujourd'hui, ces peuples se sont sédentarisés et ne tuent les animaux sauvages que pour protéger leurs récoltes. Ils élèvent des vaches, des chèvres et des moutons et se nourrissent de leur lait. Ils rassemblent chaque soir leurs bêtes et passent la nuit auprès d'elles, protégés des hyènes et des lions par une épaisse barrière de buissons épineux.

Animaux sauvages et domestiques se croisent parfois dans la savane. Dans certains contes, ils communiquent, se combattent ou s'entraident. Les herbivores sont les plus nombreux. La plupart vivent en troupeaux. Cela permet à chaque individu de bénéficier de la vigilance du groupe et d'augmenter ses chances d'échapper aux prédateurs. Les herbivores se nourrissent de matières végétales : herbes, feuilles, écorces, fruits, racines... Chacune des espèces a un menu différent. La concurrence entre elles est ainsi évitée, l'épuisement des pâturages atténué, et il y a de quoi manger plus longtemps pour tout le monde.

Le gnou* préfère les nouvelles pousses tendres. On dit que son nom vient des gémissements qu'il fait entendre quand il est repu : «gue-nou, gue-nou». La gazelle de Grant a une prédilection pour les herbes sèches au ras du sol. Le zèbre découpe avec ses incisives les herbes hautes et dures. Le gerenouk* se nourrit de feuilles d'arbres en se tenant dressé sur ses pattes postérieures. Le rhinocéros se contente de celles qui se trouvent à sa hauteur. L'éléphant mange de l'herbe verte durant la saison des pluies, des feuilles et des écorces pendant la saison sèche. Grâce à son long cou, la girafe peut atteindre les plus hautes branches des acacias et saisir leurs feuilles en glissant sa langue entre leurs épines. Le cercopithèque* se nourrit de fruits et de pousses d'arbres. Le phacochère* déterre les tubercules et les racines enfouies dans le sol.

Les 26 contes traditionnels, que j'ai réunis dans ce livre et soigneusement adaptés et réécrits, ont pour héros les habitants de la savane. Ils veulent distraire tout en éduquant. Ils cherchent à éveiller l'esprit critique et apprennent à ruser pour éviter d'être trompé ou exploité. Ils sont le reflet de la sagesse africaine, la mémoire du passé qui nourrit le présent. Jadis, le soir venu, les anciens les racontaient aux plus jeunes, et même la lune et les étoiles écoutaient leurs paroles montant de la savane.

Jean Muzi

L'éléphant efface les empreintes du lièvre.
La pluie efface celles de l'éléphant.
Mais les contes conservent leurs traces
et nous restituent leurs aventures.

1. LE FEU

Le feu est utile. Mais il faut savoir le maîtriser pour éviter qu'il ne dévaste tout.

Il y a fort longtemps, le ciel résidait tout près de la terre. À certains endroits, il était si bas qu'il frôlait la cime des acacias, des baobabs et des fromagers. Les hommes pouvaient ainsi accéder facilement au soleil afin de se procurer du feu qu'ils utilisaient pour faire cuire leurs aliments.

Un jour, une femme, qui préparait à manger, cogna la voûte céleste avec le grand pilon qu'elle manipulait d'un geste régulier pour écraser du mil* dans son mortier. Cela lui arrivait de temps en temps, et le ciel ne lui en tenait jamais rigueur. Mais, cette fois-là, il eut une réaction imprévisible. Il décida de s'éloigner de la terre, mettant ainsi le soleil hors de portée des êtres humains.

Ceux-ci durent alors implorer régulièrement le ciel pour obtenir du feu. Au début, il leur rendait service en faisant s'entrechoquer les nuages afin de provoquer des éclairs. Mais il finit par se lasser de leurs demandes.

— Tous ces quémandeurs m'ennuient de plus en plus, dit-il en se mettant en colère.

Il tonna, et la foudre embrasa la savane.

Les hautes herbes et les arbres brûlèrent. Les flammes chassèrent devant elles les animaux. Éléphants, girafes, buffles, rhinocéros et lions prirent la fuite, précédés par les zèbres, les gnous et les gazelles et suivis par des plus petits, tels les lézards dont les cigognes s'emparaient goulûment. Les crocodiles et les hippopotames restèrent à l'abri dans l'eau des fleuves et des marigots*.

Quelques insectes imprudents que le feu avait rattrapés devinrent incandescents. Comme ils brillaient dans la nuit, on les appela lucioles ou vers luisants. Les animaux les plus lents furent brûlés. C'est ce qui arriva à la tortue. Elle était résistante et parvint à s'en tirer, mais une épaisse croûte se forma sur son corps. Elle la porte encore de nos jours.

Les hommes cessèrent ensuite de solliciter le ciel pour avoir du feu. Ils apprirent à en faire eux-mêmes en cognant deux pierres l'une contre l'autre ou en frottant très vite une baguette contre un morceau de bois bien sec.

2. LE BAOBAB

Seigneur de la savane, le baobab peut vivre plusieurs siècles. Jadis, il était le plus généreux des arbres.

C'était un après-midi d'été où toute la savane somnolait, écrasée de soleil. Le lièvre avait fait halte sous un baobab.

— L'ombre de cet arbre est très agréable, dit-il.

Le baobab l'entendit.

Flatté par le compliment, il manifesta sa satisfaction en faisant frémir ses feuilles.

— Mais on dit que ses fruits n'ont pas bon goût, poursuivit le lièvre.

Vexé, l'arbre fit aussitôt tomber un pain de singe* près de l'animal. Le lièvre l'ouvrit, mordit dans sa chair à pleines dents et se régala. Voyant que le baobab réagissait à ses taquineries, il ajouta :

— Le fruit était bon, mais cela ne signifie pas qu'il en soit de même pour le cœur de l'arbre.

Contrarié que le lièvre doutât encore de lui, le baobab ouvrit lentement son énorme tronc. L'animal découvrit avec surprise qu'il recelait mille merveilles : des bijoux d'or et d'argent, des perles et des pagnes* brodés. Il poussa un cri d'admiration tandis que l'arbre satisfait faisait frémir son feuillage et qu'au loin résonnaient les tam-tams* des hommes.

Le lièvre prit les richesses offertes par le baobab, remercia et, rapide comme le vent, regagna son terrier. La femme du lièvre se para aussitôt des bijoux, suscitant l'admiration des uns et la jalousie des autres.

Quelques jours plus tard, l'hyène* demanda au lièvre d'où provenait sa soudaine richesse. Il conta son aventure. L'hyène courut jusqu'au baobab et fit comme le lièvre. Elle profita de son ombre, savoura un pain de singe et obtint de riches cadeaux. Mais elle ne sut pas s'en contenter. Emportée par sa cupidité, elle se mit à mordre férocement le cœur de l'arbre pour le creuser, persuadée d'y trouver d'autres richesses. Blessé, celui-ci referma aussitôt son énorme tronc, broyant l'hyène, qui ne tarda pas à mourir.

Depuis, le baobab vit solitaire et ne fait plus preuve d'aucune générosité, ni envers les hommes ni envers les animaux de la savane, même si les uns et les autres profitent toujours de son ombre.

3. LE CHASSEUR ET LA LIONNE

«Qui te tire des larmes, tire-lui du sang», dit le proverbe bantou. C'est ce que parvient à faire le chacal en bénéficiant habilement de l'aide d'un chasseur.

Il faisait de plus en plus chaud dans la savane. L'eau devenait rare et les animaux souffraient. La lionne n'avait plus beaucoup de force pour chasser. Elle ne parvenait plus à capturer ni gnous ni gazelles pour nourrir ses deux lionceaux. Ils n'avaient rien mangé depuis plusieurs jours, et elle était inquiète. Pour assurer leur survie, elle s'attaqua à la progéniture du chacal, dont elle tua tous les petits. Un marabout*, témoin de la scène, raconta au malheureux ce qui s'était passé. Le chacal jura de se venger.

Quelques semaines plus tard, un homme armé d'un arc aperçut les deux lionceaux que leur mère avait laissés seuls sous un acacia. Le vent venait de face et emportait l'odeur du chasseur, empêchant ainsi les lionceaux de détecter sa présence. L'homme s'approcha sans bruit. Puis il sortit de son carquois une flèche, banda son arc et la décocha avec force. Touché, un des lionceaux s'écroula. L'autre tenta de prendre la fuite, mais une flèche l'atteignit à son tour. Le chasseur s'assura qu'ils étaient bien morts avant de les charger sur son dos. Et il rentra. La lionne fut informée du drame par un suricate*.

Le lendemain, folle de chagrin, elle se métamorphosa en femme et partit à la recherche du chasseur. Elle trouva son village et s'y installa. Comme elle était jolie, plusieurs hommes la demandèrent en mariage. Elle refusa. Quand le chasseur, qui était déjà marié, fit à son tour sa demande, la femme accepta de devenir sa seconde épouse. «Je vais pouvoir venger mes petits», se dit-elle. Le mariage fut célébré rapidement. La nouvelle épouse proposa alors au mari de le présenter à son frère.

— Mes parents sont morts, prétendit-elle, et il ne me reste que lui. Rendons-lui visite, il sera heureux de faire ta connaissance.

Quelques jours plus tard, ils se levèrent à l'aube et se préparèrent. L'homme prit son arc et son carquois.

— Aurais-tu l'intention de tirer sur mon frère et les gens de son village? lui demanda-t-elle.

— Non!

— Alors, laisse tout ça ici.

Le mari fit ce qu'elle lui demandait. Puis ils partirent. La première épouse prit aussitôt une natte et la roula rapidement après y avoir dissimulé l'arc et le carquois. Elle ficela l'ensemble et se lança à la poursuite des deux autres, qu'elle eut tôt fait de rattraper.

— Vous aurez besoin de cette natte pour vous étendre quand vous serez fatigués, leur dit-elle.

Ils remercièrent et poursuivirent leur chemin à travers la savane, tandis que la première épouse regagnait le village. Le soleil monta et se fit de plus en plus chaud. De temps en temps, l'homme reconnaissait un endroit où il avait chassé.

— Il y a quelques mois, j'ai tué un gnou ici, dit-il.

Plus loin, il se souvint d'avoir blessé une gazelle qui avait fini par lui échapper.

— C'est sous cet acacia que j'ai tué deux lionceaux, se vanta-t-il un peu plus tard.

Le regard de la femme s'assombrit, puis elle se métamorphosa lentement en lionne. Le chasseur en fut glacé d'effroi. Il ne comprenait pas ce qui arrivait. Il ferma les yeux un instant, persuadé qu'il était victime d'une hallucination et qu'en les rouvrant il ne verrait plus cette lionne face à lui. Mais elle était toujours là. Elle rugit et le menaça.

— Tu mérites une punition pour avoir tué mes petits, lui dit-elle.

— Aie pitié de moi, je suis ton mari.

— Pour moi, tu n'es que l'assassin de mes lionceaux.

— Dans ma famille, on est chasseur de père en fils, et je n'ai fait que mon métier, expliqua-t-il.

— Tu as tué mes petits et tu seras puni pour ce crime.

— Toi aussi, tu chasses pour te nourrir et tu as la réputation d'être sanguinaire.

— Moi, je ne me suis jamais attaquée à tes enfants.

— Peut-être n'en as-tu jamais eu l'occasion?

Ils étaient en train de discuter, quand l'hyène approcha.

— Quelle punition puis-je infliger à cet homme pour avoir tué mes petits? lui demanda la lionne.

— Il faudrait demander conseil au chacal, répondit l'hyène.

— Va le chercher.

L'hyène revint rapidement avec le chacal. Pendant que la lionne lui parlait, il vit la natte posée aux pieds du chasseur. À sa forme, il comprit qu'elle contenait un arc et un carquois. L'homme, lui, n'y avait pas prêté attention. «L'occasion m'est enfin donnée de me venger de la lionne qui a tué mes petits», se dit le chacal. Il réfléchit quelques instants avant de prendre la parole.

— En vérité, l'affaire est simple, déclara-t-il. Il suffit de la dérouler pour trouver la punition qu'il faudra décocher. Si le tireur est adroit, elle sera mortelle.

— Je ne comprends rien à ton charabia, lança la lionne, alors que l'homme souriait, car pour lui le message du chacal était très clair.

— Je vais t'expliquer, dit calmement celui-ci.

Il s'approcha du fauve et lui répéta lentement la phrase qu'il venait de prononcer, tandis que le chasseur déroulait la natte et saisissait l'arc et le carquois. Le chacal fit ensuite un bond sur le côté, permettant ainsi à l'homme de décocher sa flèche avec précision. La lionne fut atteinte en plein cœur et ne tarda pas à mourir. Avant de s'éloigner, le chasseur offrit la viande au chacal, qui la partagea avec l'hyène. Rentré chez lui, l'homme raconta son aventure à sa première femme, la remercia pour l'arc et le carquois dissimulés dans la natte et lui promit de ne plus jamais prendre une autre épouse.

4. LE LIÈVRE ET LA FILLE DU LION

❀

Dans les contes africains, c'est souvent le lièvre qui occupe la place du plus rusé des animaux.

L e lion avait une très belle fille en âge de se marier. Il convoqua tous les animaux de la savane afin de lui trouver un mari. Dès qu'ils furent rassemblés, il leur montra une grande marmite, posée sur un feu, dans laquelle bouillait un liquide.

— J'accorderai la main de ma fille à celui qui boira d'un seul trait le contenu de ce récipient, déclara le fauve.

Craignant de s'ébouillanter, la plupart des animaux renoncèrent à l'épreuve. Quelques-uns voulurent tenter leur chance, mais aucun ne réussit. Le dernier qui se leva fut le lièvre. Il saisit le récipient fumant et déclara qu'il aimait beaucoup les boissons chaudes. Mais, avant de commencer à boire, il fit lentement le tour de l'assemblée. Il s'arrêta devant chaque animal, le prenant à témoin en répétant les mêmes mots :

— Cher ami, tu peux constater que cette marmite est remplie d'un liquide bouillant.

L'un après l'autre, les animaux acquiesçaient. Quand le lièvre eut parlé à tous, le liquide avait refroidi. Il put alors l'avaler sans se brûler. Aussitôt, l'assemblée l'acclama. Comme convenu, le lion donna au lièvre sa fille en mariage. Il organisa une fête grandiose qui dura sept jours et sept nuits, au cours desquels les convives se gavèrent de nourriture. Dans la savane, les anciens parlent encore de cette noce avec nostalgie.

5. POURQUOI LE CROCODILE
VIT-IL SOUS L'EAU ?

À l'origine, les animaux n'avaient pas tous la même apparence qu'aujourd'hui.

J adis, les choses étaient différentes. Le crocodile et le chien étaient amis et vivaient non loin d'un grand fleuve. Tous deux avaient des gueules si petites qu'il leur était difficile de se défendre et de chasser. En outre, ils étaient contraints de s'abreuver lentement, ce qui les exposait à bien des dangers aux abords des points d'eau. Et puis ils ne pouvaient manger qu'avec lenteur, si bien qu'on leur volait souvent leur repas avant qu'ils l'aient terminé.

Un jour, le chien trouva un couteau dans la savane. «Cet outil va changer ma vie», se dit-il. Il le ramassa et alla le montrer au crocodile.

— Regarde ce que j'ai trouvé.

— À quoi cela sert-il? demanda le crocodile avec étonnement.

— À couper.

— Comment le sais-tu?

— J'ai vu un homme qui s'en servait pour dépecer du gibier.

— Mais toi, que comptes-tu en faire?

— Te le confier pour me fendre le museau afin que j'aie une grande gueule, répondit le chien. Cela me permettra de boire, de manger et de mordre plus facilement.

Le crocodile accepta à condition que son ami lui fendît aussi le museau.

— D'accord, dit le chien.

Le crocodile introduisit le couteau dans la gueule de ce dernier et coupa. Il prit son temps, travailla avec application, et le chien fut très satisfait du résultat.

— Maintenant, à ton tour, dit le crocodile en lui tendant le couteau.

Le chien lui plongea le couteau dans la gueule et tailla rapidement. Il était si maladroit qu'il faillit lui couper la tête en deux.

— Imbécile, lui lança le crocodile. Tu as vu ce que tu as fait. Je ne pourrai plus me montrer avec une gueule pareille. Je vais devoir me cacher dans le fleuve.

— Pardonne-moi, dit l'autre d'un air penaud.

— Jamais! hurla le crocodile. Et je te préviens que si tu viens te désaltérer au fleuve, je te happerai, te tirerai sous l'eau et te dévorerai.

Le chien prit la fuite en tremblant. Depuis, il s'est installé chez les hommes. Quant au crocodile, il vit dans l'eau, et tout le monde le craint à cause de son immense gueule.

6. LA COIFFURE DE L'ÉLÉPHANT

Dans ce conte, le petit lièvre ridiculise le géant de la savane.

L'éléphant était le roi de la savane. Son royaume était si vaste qu'il avait fini par en céder une partie à son frère cadet, lui permettant ainsi de régner sur les terres les plus ingrates de son territoire. Un jour, il dut se rendre aux funérailles de ce dernier, qui venait de mourir accidentellement. Comme il était très orgueilleux, il convoqua ses courtisans et leur demanda de l'accompagner vêtus de leurs habits d'apparat.

— Je veux que nous fassions grande impression, lança-t-il avant de leur demander quelle tenue il pourrait porter pour la circonstance.

Les courtisans tentèrent de le conseiller, mais il ne retint aucune de leurs suggestions.

— Et toi, dit l'éléphant au lièvre, qui n'avait pas parlé, tu dois bien avoir une idée.

— Vous devriez vous contenter, Majesté, de porter un chapeau comme nul n'en a encore vu.

— Et où le trouverai-je?

— Inutile de chercher, Sire, il est devant vous. Donnez-moi un boubou* brodé d'or et placez-moi sur votre tête. Vous ne manquerez pas d'être remarqué par tous ceux qui assisteront aux funérailles.

L'éléphant fut enchanté par la proposition du lièvre.

— Excellente idée! s'exclama-t-il.

On habilla le lièvre, qui prit place sur la tête du monarque. Sa suite était nombreuse. Le cortège se mit en route. Il chemina longuement dans la savane. Quand il arriva sur place, la foule se méprit. Elle pensa que l'éléphant était la monture du lièvre et elle acclama ce dernier, tandis que des serviteurs attachaient le pachyderme à un acacia.

Le lièvre sauta à terre et se comporta comme s'il était le roi de la savane. Outragé, l'éléphant rompit ses liens. Il chargea le lièvre en poussant des barrissements de colère. Ce dernier prit la fuite. Il dut arracher son boubou pour pouvoir courir plus vite et parvint à s'échapper. C'est depuis cette mésaventure que l'éléphant déracine sans cesse les arbres dans l'espoir de trouver le terrier où se cache le lièvre.

7. LE LION ET L'ARAIGNÉE

Contrairement aux autres continents, l'araignée est présente dans les contes africains et rivalise avec les animaux les plus puissants.

U n matin, l'araignée eut envie de manger du poisson. Elle prit le grand filet qu'elle avait tissé et se rendit à la rivière. Elle pêcha jusqu'à midi et en attrapa plusieurs. « Je vais me régaler », se dit-elle. Elle ramassa du bois mort, alluma un feu sur la berge et fit griller les poissons. Le lion, qui venait boire à la rivière, l'aperçut. Après s'être abreuvé, il s'approcha et la salua.

— Bonjour, répondit-elle en essayant de dissimuler son inquiétude.

— Que cuisines-tu ? demanda le lion.

— Rien d'extraordinaire. Je fais juste griller quelques petits poissons que je viens de pêcher. Je crains, hélas, qu'il n'y en ait pas assez pour deux.

— Ce n'est pas grave, j'ai juste envie de les goûter pour savoir comment tu les accommodes.

L'araignée fut contrainte d'inviter le lion. Il goûta un poisson et le trouva délicieux. Il en goûta ensuite un autre, puis un autre encore. Si bien qu'il les mangea tous. L'araignée dut se contenter de leur fumet. Elle était furieuse et, tout en pleurant de rage, elle se dit qu'elle ferait de son mieux pour se venger. Le lion vit ses larmes.

— Pourquoi pleures-tu ? lui demanda-t-il.

— Pour rien. C'est juste la fumée qui m'est venue dans les yeux.

C'est alors qu'ils aperçurent une pintade sauvage, au plumage moucheté. Elle venait pour se désaltérer. En voyant le lion, elle renonça à se poser et s'éloigna. L'araignée la suivit du regard.

— C'est une de mes amies, dit-elle au lion. Tu as dû lui faire peur.

— Son plumage est très beau.

— C'est moi qui lui ai donné l'aspect qu'il a, et elle en est très satisfaite, prétendit l'araignée.

— J'ignorais que tu avais un tel talent !

— Je le tiens de ma mère. Si tu veux, je peux te faire une fourrure mouchetée. Mais sache que c'est parfois un peu douloureux.

— Qu'importe, dit le lion, je veux avoir une fourrure comme aucun de mes semblables n'en a jamais eue. Il faut que tu te mettes au travail tout de suite.

— Comme tu voudras. Mais au préalable, j'ai besoin d'un buffle.

— Pourquoi ? s'étonna le lion.

— Pour faire des lanières avec sa peau.

— Et à quoi serviront-elles ?

— Tu verras bien, répondit l'araignée.

Le lion erra dans la savane et trouva un troupeau de buffles. Il en tua un petit, l'écorcha et coupa sa peau en longues lanières. L'araignée, qui l'avait rejoint, se gava de viande pendant qu'il travaillait. « C'est vraiment meilleur que le poisson », se dit-elle. Quand le lion eut terminé, elle était rassasiée.

— Prends les lanières, lui dit-elle, et dirigeons-nous vers le grand fromager qu'on aperçoit là-bas.

Quand ils furent au pied de l'arbre, l'araignée lui demanda s'il avait la force de le déraciner. Le lion essaya sans y parvenir.

— Bien, dit l'araignée satisfaite. Il faut maintenant que tu enlaces le tronc de tes quatre pattes afin que je puisse t'y attacher.

Le lion était réticent.

— Pourquoi veux-tu me ligoter ?

— Je n'ai pas le choix. Si je ne le fais pas, tu risques de bouger et ta fourrure sera ratée.

Le lion enlaça le fromager, et l'araignée l'attacha solidement avec les lanières. Elle ramassa un morceau de bois mort, l'enflamma et l'appliqua sur le pelage du lion, qui rugit de douleur.

— Voilà pour les poissons que tu as mangés tout à l'heure, dit-elle. Et ça ne fait que commencer.

Elle poursuivit sa besogne, et à plusieurs reprises le lion faillit tourner de l'œil tant la douleur était intense. Quand l'araignée s'arrêta, il n'avait plus la force de protester, et son pelage, entièrement brûlé, était devenu noir.

— Tu es méconnaissable, ricana-t-elle.

Satisfaite de s'être vengée, l'araignée rentra chez elle. Le lion resta ligoté au fromager, pleurant de douleur et de rage. Des termites* l'aperçurent. Elles eurent pitié de lui, rongèrent les lanières et le libérèrent. Ainsi vêtu de noir, le lion fut la risée de toute la savane durant de longs mois. Mais son poil couleur fauve finit par repousser.

8. L'ÉLÉPHANT MÉCONTENT

La plupart des animaux donnent naissance à plusieurs petits en même temps. Mais l'éléphant ne peut en avoir qu'un seul à la fois...

Bien qu'il fût le roi de la savane, l'éléphant n'était pas satisfait de son sort. Un jour, il demanda audience au Créateur, qui accepta de le recevoir et l'invita à dîner.

— Quel est l'objet de ta visite? lui demanda-t-il à la fin du repas.

— Ma situation, qui me rend de plus en plus malheureux, dit le pachyderme.

— Il me semble que tu as tout pour être heureux. Tout le monde te respecte et te craint dans la savane où tu ne manques jamais de rien.

— Oui mais je ne peux avoir qu'un seul éléphanteau à la fois et je voudrais bien savoir pourquoi.

Le Créateur sourit. Comme il était tard, il proposa à l'éléphant de passer la nuit sur place.

— Tu retourneras dans la savane demain. En attendant, réfléchis. Tu devrais pouvoir trouver tout seul la réponse à ta question.

L'éléphant s'installa pour la nuit dans le champ de maïs du Créateur. Le lendemain matin, ce dernier lui demanda s'il avait trouvé la réponse.

— Non, répondit-il.

C'est alors qu'ils entendirent pousser des cris.

— Maître, dit un des serviteurs au Créateur, ce gros animal a piétiné tout votre champ durant la nuit. La récolte de maïs est perdue.

Le Créateur se tourna vers l'éléphant.

— C'est ton comportement qui est à l'origine de ce dont tu te plains, dit-il. Si tes semblables devenaient trop nombreux, toutes les récoltes seraient détruites, et il n'y aurait plus rien à manger sur la terre.

L'éléphant prit congé et s'en fut la tête basse. Depuis ce jour, il sait que c'est à lui, et à lui seul, qu'il doit s'en prendre s'il ne peut avoir qu'un seul éléphanteau à la fois.

9. LE LÉOPARD ET LA BASSE-COUR

Les puissants n'en font parfois qu'à leur tête.

L e léopard possédait une basse-cour. Il y préle-
vait de quoi manger quand les proies se faisaient rares et que la chasse devenait trop
difficile. Un jour, il dut partir en voyage. La veille
de son départ, il s'adressa aux animaux de la savane.
Il confia trois poules à l'éléphant, trois à la girafe et
deux autres au buffle. Il prit bien soin de ne solli-
ter aucun carnassier, car il tenait à retrouver l'inté-
gralité de sa basse-cour à son retour.

Quand toutes les poules furent casées, il resta le
coq. Il le confia à l'antilope en soulignant qu'il n'en

possédait qu'un et qu'il comptait sur elle pour le garder en vie. L'antilope craignait tant le léopard qu'elle consacra au coq le plus clair de son temps. Elle en perdit même le sommeil.

Au retour du léopard, chacun rapporta les poules et les poussins qui étaient nés durant son absence. L'antilope restitua le coq et fut la seule à ne pas rendre plus que ce qui lui avait été confié.

— Où sont les poussins? demanda le léopard.

— Les poussins? Mais tu sais bien que les coqs ne pondent pas, répondit l'antilope.

— Non seulement tu me voles mais en plus tu es impertinente. Tu seras punie.

Et le léopard posa la patte sur la malheureuse, qui tremblait de peur. Il s'apprêtait à lui briser l'échine quand apparut le rhinocéros. L'antilope l'appela et le supplia de confirmer que les coqs ne pondaient pas.

— Je n'ai jamais rencontré de coqs dans la savane, dit-il, et j'ignore tout d'eux.

C'est alors que le lièvre se montra. Il avait tout entendu de son terrier, qui se trouvait tout près. Il était ami avec l'antilope et voulait l'aider. Il poussa des cris et fit mine d'être très agité.

— Que se passe-t-il? demanda le léopard.

— Ton fils vient de mettre au monde un petit, lança-t-il.

— Idiot, répliqua le léopard. Où as-tu vu que les garçons accouchaient?

— Si ton coq pond, pourquoi ton fils n'accou-
cherait-il pas ? lança le lièvre avant de regagner
son terrier.

Furieux, le léopard n'insista pas et dut laisser
la vie sauve à l'antilope. Mais il la dévora tout de
même quelques semaines plus tard.

10. LE TISSERIN,
LE ROI ET L'AVEUGLE

❊

Les oiseaux chantent, sifflent, jacassent, hululent ou roucoulent. Certains parlent. D'autres émettent d'étranges cris...

U n homme voulait cultiver du mil. Mais il ne possédait pas de champ. Avec l'aide de son jeune fils, il défricha un terrain, le laboura et l'ensemença. Le mil germa, grandit et commença à mûrir.

Un après-midi, l'homme appela son fils.

— Va au champ pour voir s'il est temps de récolter, lui dit-il.

Le garçon obéit. Arrivé sur place, il aperçut un tisserin* qui picorait le mil. Il frappa dans ses mains et poussa des cris pour le faire fuir. L'oiseau interrompit son repas et lui dit :

— Déguerpis si tu ne veux pas avoir à le regretter.

— Ce champ appartient à mon père, répliqua l'enfant. Tu n'as rien à faire là.

Alors le frêle tisserin ouvrit son petit bec, et de sa gorge minuscule jaillit un rugissement effroyable. Épouvanté, le garçon prit ses jambes à son cou.

— Un oiseau a pris possession du champ, expliqua-t-il à son père en tremblant.

— Il devait être aussi gros qu'un buffle pour te mettre dans un tel état.

— Non, sa taille ne dépassait pas celle de mon poing, mais il rugissait comme un lion.

— Es-tu sûr que c'était un oiseau ?

— Oui, un tisserin.

— Un tisserin ne rugit pas.

— Non seulement il rugissait mais il parlait, ajouta l'enfant.

— Que t'a-t-il dit ?

— Que je devais déguerpir si je ne voulais pas avoir à le regretter.

— C'est impossible. Tu as dû avoir une hallucination.

— Si tu ne me crois pas, protesta le garçon, va voir par toi-même.

— C'est ce que je ferai dès demain matin, dit le père.

Le lendemain, l'homme se leva à l'aube. Arrivé au champ, il aperçut le petit oiseau. Il ramassa une pierre et la lança dans sa direction. Le tisserin vit arriver le projectile et fit un bond sur le côté pour l'éviter.

— Tu as essayé de me tuer. Ne recommence jamais à me prendre pour cible, si tu ne veux pas en pâtir, dit-il avant de se mettre à rugir.

L'homme fut si impressionné qu'il prit aussitôt la fuite. Il regagna rapidement sa case et raconta à sa femme ce qui s'était passé.

— Tu as été, toi aussi, victime d'une hallucination, dit-elle.

— Pas du tout. Va au champ et tu verras.

La femme s'y rendit. Elle constata que son mari disait vrai et s'enfuit en entendant les rugissements de l'oiseau. Pour éviter de subir les représailles de ce dernier, ils décidèrent de lui abandonner la récolte de mil. La femme était bavarde. Elle parla du tisserin autour d'elle. L'information se répandit et parvint aux oreilles du roi. Il décida d'aller au champ. Ses conseillers tentèrent de l'en dissuader en soulignant que c'était dangereux. Mais il ne voulut rien entendre.

— Vous n'êtes que des poltrons, leur lança-t-il.

Le lendemain, le roi entra dans le champ. Il vit l'oiseau et s'approcha. Sa petite taille le fit sourire.

— Qui t'a autorisé à fouler ce champ? demanda le tisserin.

— Je suis le roi et je fais ce qui me plaît.

— Tu es roi chez les hommes, pas chez les animaux.

— Tais-toi, sinon je donnerai l'ordre qu'on te capture et qu'on te mette en cage.

L'oiseau éclata de rire et poussa plusieurs rugissements qui firent trembler la savane. Le roi regagna son palais, bien décidé à tout mettre en œuvre pour capturer le tisserin. Il réunit ses conseillers.

— Je propose de donner la moitié de mes richesses à celui qui me rapportera le tisserin qui rugit, leur annonça-t-il.

La nouvelle se répandit rapidement, mais les volontaires ne furent pas nombreux. Les gens craignaient que le tisserin ne se transformât en lion et les dévorât. Seul un vieil aveugle voulut tenter l'aventure. Les conseillers se moquèrent de lui et voulurent le chasser. Le roi les interrompit avant de s'adresser au vieil homme.

— Nul autre que toi ne s'est porté volontaire, dit-il. Je te félicite pour ton courage et te souhaite de réussir.

L'aveugle fut conduit jusqu'au champ par son propriétaire.

— Merci, dit-il. Maintenant, éloigne-toi et reviens me chercher tout à l'heure.

L'autre s'en alla.

— Ohé, l'oiseau, ohé! cria le vieil homme.

— Qui es-tu?

— Un vieil aveugle qui entend très mal. Approche-toi donc.

Le tisserin s'approcha tandis que l'aveugle faisait quelques pas en avant.

— Que me veux-tu? demanda l'oiseau.

— Je veux te parler.

— Me parler?

— Oui, mais approche encore, tu ne risques rien.

— Me voici, je suis tout près de toi!

L'aveugle tendit la main et saisit le tisserin. Conduit par le propriétaire du champ, il retourna chez le roi. L'oiseau fut mis en cage et nourri pendant quelques jours, au cours desquels il ne parla pas et ne rugit pas.

— Tu t'es moqué de moi, dit le roi à l'aveugle. Ce tisserin est muet. Ce n'est pas celui que tu devais me ramener.

— Mais si, Majesté, il faut juste attendre qu'il se décide.

Le roi prit soin de l'oiseau, lui parla, le flatta, le stimula. En vain. Alors il menaça de le priver de nourriture. Et, à deux ou trois reprises, il mit sa menace à exécution. Mais le tisserin demeura muet durant plusieurs semaines. Un matin où il était seul avec lui, le roi décida de le libérer et ouvrit la cage.

Il regarda l'oiseau s'envoler et se poser sur la branche d'un fromager tout proche.

— Je suis bien celui dont tu cherchais à t'emparer, lui lança le tisserin de son perchoir, avant de pousser un rugissement de satisfaction.

Personne n'ayant été témoin de la scène, le roi put continuer d'affirmer que l'oiseau attrapé par l'aveugle n'était pas le bon. Il évita ainsi d'avoir à lui donner la moitié de ses richesses. Il lui offrit néanmoins de quoi faire construire une grande case. Le tisserin préféra aller vivre ailleurs, et le propriétaire du champ n'eut plus jamais à souffrir de sa présence.

11. Le calao et l'araignée

Pourquoi le calao* porte-t-il un casque?

La lune ronde glissait sur le pagne noir de la nuit. Portée par la brise, la litanie obsédante des tam-tams se mêlait aux hurlements des hyènes. Les rugissements des lions auxquels répondaient les longs barrissements des éléphants faisaient trembler la savane. Perchés sur un fromager, le calao et l'araignée parlaient à voix basse. Ils étaient amis et se retrouvaient souvent après le coucher du soleil pour discuter, tout en profitant de la fraîcheur de la nuit. Ce soir-là, l'oiseau fit une proposition à son ami[1].

1. Il s'agit d'une araignée mâle.

— Nous sommes en âge de nous marier, dit-il, et je connais un endroit où nous trouverons aisément les femmes qui nous conviennent. Il n'est pas bon de rester trop longtemps célibataire. Partons dès demain.

— On ne peut pas partir comme ça du jour au lendemain, répondit l'araignée.

— Personne ne nous empêche de prendre quelques jours pour nous préparer.

— Je vais réfléchir à ta proposition.

L'araignée n'avait pas très envie de se marier. Chaque fois que le calao reparlait de voyage, l'insecte trouvait un prétexte pour repousser leur départ. Mais l'oiseau insista tant que son ami finit par céder.

— Si tu veux que je t'accompagne, finit par dire l'araignée, il faudra que tu portes mon bagage, parce que je n'ai pas beaucoup de force.

— D'accord, dit le calao.

Ils convinrent de partir quelques jours plus tard. Très vite, l'insecte se reprocha d'avoir accepté. Il se trouvait trop jeune pour prendre femme, et la coutume lui interdisait d'en choisir une sans en parler au préalable avec les siens. Il en voulut à l'oiseau de lui avoir forcé la main. Comme il n'osait pas avouer qu'il avait changé d'avis et ne voulait plus partir, il eut soudain l'idée d'aller voir un féticheur* et lui demanda de préparer un gri-gri* nuisible pour le calao.

L'insecte le dissimula dans le bagage qu'il confia à ce dernier le jour du départ. Après l'avoir posé avec le sien sur sa tête, l'oiseau s'envola tandis que l'insecte feignait de le suivre. Arrivé à destination, le calao attendit. Comme l'araignée tardait, il décida de poser sa charge à terre. Mais cela lui fut impossible. Et malgré tous ses efforts, il ne put s'en débarrasser. Il reprit alors le chemin en sens inverse, sans parvenir à retrouver l'insecte. Les bagages restèrent fixés sur la tête du calao et finirent par se transformer en casque. Et depuis, tous ses descendants en portent un.

12. LE SINGE, LE LÉOPARD ET L'HIPPOPOTAME

Tout vient à point à qui sait attendre.

L e singe avait trois fils dont il était très fier. Un jour, le léopard les mangea. Le singe en fut profondément attristé et jura de se venger. Mais le léopard se méfiait et parvenait toujours à l'éviter quand il se déplaçait dans la savane. Le singe dut patienter. Plusieurs mois passèrent sans qu'il trouvât la moindre occasion.

Un jour, elle se présenta enfin. Le singe pêchait au bord du fleuve. Il avait attrapé quelques silures* qu'il avait posés près de lui sur la berge. Il faisait chaud et le léopard s'approcha pour se désaltérer. Avec le temps, il semblait avoir oublié son forfait. Le singe, quant à lui, était toujours déterminé à se venger. Il roula vite le fil avec lequel il pêchait et le dissimula.

— Que fais-tu là ? demanda le léopard.

— Je pêche.

— C'est donc toi qui as attrapé ces poissons ?

— Oui.

— Comment t'y prends-tu ?

— C'est très simple. Je plonge ma queue dans l'eau et j'attends. Dès que le poisson mord, je la retire et puis voilà.

— Je vais faire comme toi.

— Tu vas certainement en attraper de plus beaux, dit le singe, car ta queue est plus grosse. Enfonce-la bien dans l'eau.

Le léopard s'assit dos au fleuve et y trempa sa queue. Quelques instants plus tard, l'hippopotame, qui était ami avec le singe, la saisit. Le léopard sentit qu'on le tirait par-derrière. Il s'agrippa à la berge avec ses griffes et résista.

— Aide-moi, hurla-t-il à l'adresse du singe.

— Te souviens-tu de mes trois fils ? répliqua ce dernier.

Et il le mordit aux pattes pour l'obliger à lâcher prise. L'hippopotame entraîna le léopard au fond du fleuve, où il se noya. Satisfait d'avoir vengé les siens, le singe déroula son fil, le jeta dans l'eau et continua de pêcher.

13. Le tisserand et le boa

Le tisserand de ce conte, trop occupé par son métier, n'a jamais songé à chasser. Aussi obtiendra-t-il aisément l'aide des animaux.

Il était une fois un tisserand dont la jeune femme fut enlevée par un énorme boa. Ce monstre avait l'habitude de s'emparer de toutes les nouvelles mariées qu'il gardait prisonnières durant une semaine avant de les manger. Personne n'avait jamais pu venir à bout de lui, car chaque fois qu'on lui tranchait la tête il lui en repoussait une nouvelle.

— Il est inutile d'espérer, tu ne reverras jamais ta femme, lui dirent les anciens.

Le tisserand était courageux et très amoureux de son épouse. Il refusa de s'avouer vaincu. Armé d'une sagaie, il partit à la recherche du boa. Il savait qu'il ne disposait que de quelques jours pour sauver sa femme. Il parcourut la savane toute la journée sans s'accorder de repos. Et, comme c'était la période de pleine lune, il fit de même durant la nuit. Mais le monstre demeura introuvable. Le troisième jour, à l'heure où le soleil était au zénith, il fit halte sous un baobab. À peine assoupi, il fut réveillé par quelque chose qui venait de lui tomber sur la tête. C'était une termite grosse comme le petit doigt. Il la saisit, la goûta et la trouva succulente. Très vite, une autre termite tomba de l'arbre. Il la mangea puis leva les yeux et aperçut un ouokolo* assis sur une des branches du baobab. Il le salua et le génie descendit. Il avait une longue barbe et tenait dans sa main une écuelle en coque de pain de singe.

— Tu as l'air d'aimer les termites, dit le nain.

— Oui, d'autant plus que je n'ai rien mangé depuis plusieurs jours.

Le ouokolo tendit son écuelle au tisserand. Elle était remplie de termites, et l'homme se régala. Puis il expliqua qu'il était à la recherche de sa jeune femme enlevée par un énorme boa.

— Je sais où se trouve la tanière de ce monstre, dit le génie.

— Peux-tu m'y conduire?

— Je n'ai pas le temps.

— Dis-moi au moins où elle se trouve, insista le tisserand.

— Si tu veux te débarrasser de ce serpent, il faut que tu saches d'abord où il cache sa vie.

— Qui peut m'informer?

— Je suis le seul à pouvoir le faire, dit le génie.

— Aide-moi, et je t'offrirai un joli boubou.

Le ouokolo exigea cent boubous pour livrer le secret. Après un long marchandage, le tisserand obtint de n'en donner que dix. Il courut jusqu'à sa case et rapporta la marchandise.

— À deux journées de marche d'ici, en direction du soleil levant, expliqua le nain, tu trouveras de grands rochers sous lesquels s'abrite le monstre que tu cherches. Tout près vit le roi des buffles. Dans sa panse se trouve une gazelle. Et dans le ventre de celle-ci, une perdrix dont l'œuf est la vie du boa. Il faudra casser cet œuf dans le jaune duquel une mouche devra barboter avant d'aller se poser sur le monstre, qui mourra aussitôt. Le tisserand partit à l'aube le lendemain. En chemin, il rencontra un lion qui rugit en lui montrant ses crocs. L'homme ne manifesta aucune crainte.

— Tu es le premier que mes crocs n'effraient pas, lui dit le fauve. Je voudrais bien savoir pourquoi.

— Tout simplement parce que je vais m'attaquer à beaucoup plus puissant que toi.

— Puis-je t'accompagner ? demanda le lion.

Le tisserand accepta. Et ils cheminèrent côte à côte. Un peu plus tard, un léopard bondit sur l'homme et lui laboura le bras de ses griffes. Mais il le repoussa violemment.

— Comment se fait-il que tu ne me craignes pas ? demanda le félin.

— Parce que je vais affronter plus fort que toi.

— J'aimerais bien t'accompagner.

— Tu es le bienvenu.

Le léopard se joignit au tisserand et au lion. Après qu'ils eurent traversé une vaste étendue de hautes herbes, un aigle fondit sur l'homme et lui déchira une oreille avec ses serres.

— Tu ne m'impressionnes pas, lui lança le tisserand, car je m'apprête à combattre plus redoutable que toi.

Le rapace demanda à l'accompagner, et l'homme y consentit. Plus loin, le chemin était accidenté. Le tisserand buta sur une pierre et s'entailla le pied. Mais il continua sans prêter attention à sa blessure.

— Tu es le premier que je blesse et qui ne s'arrête pas pour prendre soin de son pied, lui cria la pierre. Emmène-moi avec toi.

L'homme revint sur ses pas, se baissa et ramassa la pierre qu'il mit dans sa poche. Puis il poursuivit son chemin. Il n'avait marché qu'une journée, quand il aperçut les rochers dont avait parlé le ouokolo.

L'estimation du génie n'en demeurait pas moins bonne. À pas de nain, celui-ci aurait forcément mis deux fois plus de temps à parcourir la même distance. C'est alors qu'une mouche pénétra dans une des narines du tisserand et ressortit par sa bouche sans qu'il éternuât ou toussât.

— Comment est-ce possible ? s'étonna l'insecte.

— C'est probablement parce que j'ai des épreuves plus terribles qui m'attendent, expliqua l'homme.

La mouche demanda aussi à l'accompagner, et il accepta avant de s'adresser à ses compagnons de route.

— Sous les rochers qu'on aperçoit là-bas, dit-il en les montrant de la main, vit un énorme boa qui a enlevé ma femme. Pour venir à bout de lui, j'ai besoin de votre aide. Acceptez-vous de m'aider ?

Tous acquiescèrent. Et ils le suivirent quand il s'élança en direction d'un grand buffle qui ne pouvait être que celui indiqué par le ouokolo. Il fit signe au lion qui bondit sur l'animal et le tua. Le tisserand lui ouvrit le ventre, et une gazelle en sortit. Elle trépassa sous les griffes du léopard. À son tour, elle fut éventrée. Il en sortit une perdrix qui s'envola. L'homme demanda à l'aigle de la ramener vivante. Le rapace prit son essor, fondit sur elle, la saisit avec ses serres et la rapporta sans l'avoir blessée. Dès qu'elle fut entre les mains du tisserand, elle pondit un œuf qu'il récupéra et posa sur le sol avant de lâcher sur lui la pierre. La coquille se brisa et son contenu se répandit.

— Tout dépend maintenant de toi, dit l'homme à la mouche. Tu dois barboter dans le jaune d'œuf avant d'aller te poser sur le boa.

La mouche effectua rapidement sa mission. Le monstre poussa de longs râles. Puis le silence se fit. La sagaie en avant, le tisserand se précipita dans l'antre du boa et constata qu'il était mort. Saine et sauve, la jeune femme se jeta dans les bras de son mari. Ils sortirent et l'homme remercia chaleureusement ses compagnons. Il promit de leur apporter son aide le jour où ils en auraient besoin. Il regagna ensuite son village en compagnie de son épouse. Leur retour provoqua la surprise. En les voyant, tout le monde comprit que le tisserand était venu à bout du monstre. Pour le remercier d'avoir réalisé un tel exploit, le chef du village organisa une grande fête au cours de laquelle lui furent remis de nombreux cadeaux.

14. L'ARAIGNÉE ET LA TOURTERELLE

Tel est pris qui croyait prendre.

L'araignée avait décidé de trouver une associée. Son choix se porta sur la tourterelle, qu'elle trouvait très sotte. « Ainsi pourrai-je la flouer plus aisément », se dit-elle.

Un matin, elles partirent de bonne heure à la pêche et se rendirent au bord du fleuve. L'endroit était poissonneux. Elles jetèrent plusieurs fois leur filet dans l'eau et remplirent un panier de poissons.

— Je propose que tu prennes ce panier aujourd'hui, dit la tourterelle. Demain, nous pêcherons un peu plus, et j'en prendrai deux.

L'araignée refusa. Elle préféra les deux du lendemain, et l'oiseau emporta le panier. Le deuxième jour, elles retournèrent au même endroit et remplirent deux paniers de poissons.

— Souhaites-tu les emporter aujourd'hui ou préfères-tu les trois paniers que nous remplirons demain ? demanda l'oiseau.

— Tu sais bien que c'est moi qui fournis le plus gros travail, s'exclama l'araignée. Je mérite donc d'avoir trois paniers de poissons.

La tourterelle prit donc les deux paniers. Le troisième jour, elles en remplirent trois.

— La pêche commence à m'ennuyer, dit alors l'oiseau. J'ai décidé d'arrêter. Prends ces trois paniers de poissons. Moi je garderai le filet. Je le vendrai et, avec l'argent que j'en tirerai, j'achèterai des bijoux.

L'araignée se laissa prendre à nouveau.

— Je préfère les bijoux, répliqua-t-elle.

— Comme tu voudras.

La tourterelle s'éloigna en emportant les trois paniers de poissons. Quant à l'araignée, elle ne parvint à vendre le filet à personne dans la savane.

Laquelle est la plus sotte des deux ?

15. La fête des animaux

On a parfois besoin de l'aide d'un plus petit que soi.

L es animaux de la savane avaient décidé d'imi-
ter les hommes. Comme eux, ils allaient organi-
ser une fête à l'occasion des récoltes. Et ils se
gaveraient d'ignames*. Mais il n'y avait aucun cultiva-
teur parmi eux et pas un seul ne possédait de champ.
Qu'importe, ils se serviraient dans ceux appartenant
aux hommes. Quelques animaux s'étaient montrés
réticents avant de se rallier aux autres. Non, ils
n'auraient pas à rougir de s'être approvisionnés dans
des champs ne leur appartenant pas. Les hommes
n'étaient-ils pas les auteurs d'actes de sauvagerie à

leur encontre ? Ne tuaient-ils pas de nombreux animaux qu'ils faisaient rôtir pour leurs repas ? Leur voler des ignames serait une juste vengeance, bien modeste en comparaison de ce que la gent animale subissait régulièrement de leur part.

Une nuit de pleine lune, les animaux se rendirent dans plusieurs champs. Ils ramassèrent une grosse quantité d'ignames qu'ils emportèrent et dissimulèrent à bonne distance. Le lendemain, ils se procurèrent du bois mort et un énorme chaudron. Seule l'eau leur manquait pour pouvoir commencer la cuisson des ignames. Le zèbre fut chargé d'aller en chercher. On lui confia plusieurs calebasses*, et il partit en direction d'un lac voisin. Il en était tout proche quand une voix se fit entendre :

— Tu peux te désaltérer sur place, mais, si tu emportes une seule goutte d'eau, je te briserai le cou.

Surpris, le zèbre s'arrêta et regarda autour de lui pour savoir qui lui parlait. Ne voyant personne, il continua d'avancer vers l'eau et fit mine de remplir ses récipients. Alors la voix le menaça encore. Effrayé, le zèbre prit la fuite en abandonnant les calebasses.

— Où est l'eau que tu devais rapporter ? lui demandèrent les animaux à son retour.

— Quelqu'un a menacé de me tuer si je m'approvisionnais dans le lac, et j'ai été contraint de renoncer, expliqua-t-il.

Le buffle proposa de remplacer le zèbre et partit, déterminé à accomplir la mission que l'autre n'avait pu mener à bien. Arrivé près du lac, il aperçut les calebasses et les ramassa. La voix retentit aussitôt :

— Tu peux boire sur place toute l'eau que tu voudras, mais, si tu en emportes une seule goutte, je te briserai les quatre pattes.

Le buffle posa les calebasses dans la poussière rouge et regarda autour de lui en soufflant bruyamment par les naseaux, prêt à charger celui qui osait le menacer. Mais il ne vit personne. Il reprit les calebasses, fit quelques pas pour atteindre l'eau et se désaltéra longuement. Il allait remplir les récipients quand la voix se fit plus menaçante. Il recula en regardant autour de lui, fit volte-face et s'enfuit en laissant les calebasses.

— Tu n'as pas rapporté d'eau, lui reprochèrent les animaux.

— Quelqu'un a menacé de me briser les pattes si j'en emportais la moindre goutte, et j'ai dû me sauver, répondit-il.

Ce fut ensuite au tour du lion, puis du rhinocéros d'aller au lac. Ils ne firent pas mieux que les autres. On demanda alors à l'éléphant s'il acceptait de s'y rendre. Il était si grand, si fort, si courageux qu'il viendrait aisément à bout de quiconque le menacerait. Il partit, récupéra les calebasses et s'approcha de l'eau. La voix se fit encore entendre :

— Tu peux avaler toute l'eau que tu voudras, mais, si tu en emportes une seule goutte, je te réduirai en miettes.

L'éléphant poussa un long barrissement de colère. Il tourna plusieurs fois sur lui-même et fouilla du regard les alentours. Ne voyant personne, il plongea sa trompe dans le lac, aspira de l'eau et fit mine de remplir les calebasses. À nouveau la voix le menaça. Elle résonna si fort sur la savane que tous les animaux tremblèrent en l'entendant. Le pachyderme vida rapidement sa trompe et prit la fuite. Contrarié et honteux d'avoir échoué, il tenta de se justifier.

— J'ai été menacé par un génie vivant au fond du lac, expliqua-t-il aux autres animaux. Il faudrait envoyer quelqu'un capable d'aller voir sous l'eau.

Le crocodile, qui vivait habituellement dans un fleuve, fut chargé d'explorer le lac. Il s'y rendit, y plongea et interrogea les poissons.

— Il n'y a jamais eu de génie ici, répondirent-ils.

— Mais alors, qui menace ceux qui veulent emporter un peu d'eau?

— Un modeste criquet qui s'est mis en tête de protéger le lac.

— Où puis-je le trouver? demanda le crocodile.

— Dans l'unique fromager se trouvant près de la rive.

Le crocodile remercia les poissons, regagna la berge et se dirigea vers l'arbre que ces derniers venaient de lui indiquer.

— On m'a dit que c'est toi qui menaçais tout le monde, lança le crocodile à l'insecte qui se cachait au creux de l'arbre.

— Je cherche juste à éviter qu'on gaspille l'eau du lac, répondit le criquet.

— J'apprécie ton action, car je vis dans l'eau, dit le crocodile. Je propose que nous devenions amis et je t'invite à m'accompagner à une grande fête.

Le criquet accepta. Le crocodile remplit d'eau les calebasses. À son retour, il la versa dans le chaudron. Il dut faire plusieurs allers et retours pour le remplir complètement. Quand il eut terminé, les animaux l'acclamèrent. Il ne répondit à aucune des questions qu'ils lui posèrent, se contentant de sourire avec modestie à tout le monde. Cela contraria ceux qui avaient échoué.

Les ignames furent cuites. Quand la fête commença, on servit d'abord l'éléphant, le lion et le buffle. Puis le rhinocéros et le zèbre. Vint ensuite le tour de plusieurs animaux qui n'avaient même pas été volontaires pour se rendre au lac. Le crocodile demanda à être servi. On le pria d'attendre. On semblait avoir oublié que c'était lui qui avait rapporté l'eau. Contrarié d'être ainsi traité, il demanda au criquet d'intervenir. L'insecte, qui était posé sur la tête du crocodile et n'appréciait guère ce qui se passait, hurla. Les animaux reconnurent sa voix. La panique s'empara d'eux et ce fut la débandade. Dès qu'ils eurent tous fui, le crocodile et le criquet se jetèrent sur les ignames et mangèrent tant qu'ils faillirent mourir d'indigestion.

16. Le guépard et l'oryx

L'humour, autant que la ruse, permet d'échapper aux prédateurs.

Perché sur un acacia, le guépard scrutait la savane. Soudain, il aperçut l'oryx* qui approchait. Il sauta de son perchoir et se dissimula dans les hautes herbes. Quelques instants plus tard, ils se retrouvèrent nez à nez.

— Que fais-tu sur mon territoire ? demanda le guépard.

— C'est simple, répondit l'oryx, je te cherchais pour que tu me dévores.

Le guépard trouva qu'il avait de l'humour. Et comme il venait de faire un bon repas, il ne se jeta pas sur lui.

— Je te mangerai si tu ne parviens pas à me donner deux vérités vraies, dit-il.

— La première, s'empressa de répondre l'oryx, est que tu ne dois pas avoir très faim, sinon tu n'aurais pas hésité à me manger tout de suite.

— Effectivement.

— La seconde est que personne ne me croira quand je raconterai que je t'ai rencontré et que tu ne m'as pas dévoré.

— Cela aussi est vrai, reconnut le guépard.

Et l'oryx put s'éloigner sain et sauf.

17. La petite fille
et le roi du fleuve

Se moquer des autres peut parfois être fatal. La marâtre de ce conte l'apprendra à ses dépens.

A près la mort de son épouse, un homme avait continué d'élever seul sa petite fille durant une année. Puis il s'était remarié. Sa nouvelle femme était très sévère avec l'enfant et la battait injustement.

Un jour, elle lui ordonna de se rendre au fleuve afin de laver le gros pilon qu'elle avait utilisé la veille pour écraser du mil. La petite fille partit aussitôt. En chemin, elle se mit à pleurer, car elle craignait de rencontrer des bêtes féroces dans la savane. Mais elle n'avait pas le choix et elle continua de marcher par peur d'être battue si elle désobéissait.

Arrivée au bord du fleuve, elle plongea le pilon dans l'eau. Aussitôt, un énorme crocodile surgit. Il avait une gueule immense, des dents acérées et de grands yeux qui lui sortaient de la tête. La petite fille fut si effrayée en l'apercevant que le pilon lui échappa et disparut au fond du fleuve.

— Que viens-tu faire ici ? lui demanda le crocodile.

— Laver un pilon, bredouilla-t-elle.

— Où est-il ? Je ne le vois pas !

— Je l'ai lâché quand je t'ai vu, et il a coulé.

— Tu n'as rien à craindre de moi, je ne te veux aucun mal.

— Alors, s'il te plaît, retrouve mon pilon.

— Je plongerai et te le rapporterai si tu réponds à ma question.

— Je t'écoute, dit-elle.

— Figure-toi qu'hier une autruche est venue boire ici. J'étais à l'affût d'une proie, car j'avais très faim. J'ai bondi et je l'ai saisie par une patte. J'allais l'emporter quand elle a crié : « Lâche-moi, grand frère ! » Surpris qu'elle m'appelle ainsi, je l'ai laissée partir. Quelques heures plus tard, j'ai attrapé une grue*. Elle aussi a crié : « Lâche-moi, grand frère ! » Et je l'ai libérée. Suis-je vraiment le frère de l'autruche et de la grue ?

La petite fille éclata de rire.

— Pas tout à fait, répondit-elle, même si elles te ressemblent un peu, car l'une et l'autre naissent dans des œufs comme les crocodiles.

— Je n'y avais pas pensé.

— Si tu n'es pas leur frère, tu es un peu leur cousin, conclut-elle.

Le crocodile plongea. Lorsqu'il reparut, quelques instants plus tard, il tenait dans sa gueule un pilon, incrusté d'or et de diamants, qu'il remit à la petite fille.

— Il est beaucoup plus beau que celui que j'ai perdu, s'exclama-t-elle.

— Je suis content qu'il te plaise.

Elle remercia le crocodile et s'en fut. Rentrée chez elle, elle remit le pilon à sa belle-mère.

— D'où vient-il ? s'étonna celle-ci.

— C'est un cadeau du crocodile pour remplacer l'autre pilon qui a coulé au fond du fleuve.

— Je veux qu'il m'offre le même, décida la marâtre. Dis-moi comment tu as obtenu le tien.

— En répondant à la question qu'il m'a posée.

— Et que t'a-t-il demandé ?

— Il voulait savoir pourquoi certains animaux l'appelaient : « grand frère ».

— Quelle réponse as-tu donnée ?

— J'ai répondu qu'ils l'appelaient ainsi parce qu'ils naissaient comme lui dans des œufs.

La marâtre prit un vieux pilon, courut jusqu'au fleuve et l'y jeta. Comme elle ne voyait pas apparaître le crocodile, elle l'appela. Il se montra.

— Aide-moi à retrouver mon pilon, lui dit-elle. Je suis la belle-mère de la petite que tu as vue tout à l'heure et suis prête à répondre à tes questions.

Le crocodile lui raconta la même histoire, mais il remplaça l'autruche et la grue par un zèbre et un singe.

— Penses-tu que je sois vraiment leur frère ? demanda-t-il.

— Bien sûr, puisqu'ils naissent dans des œufs comme les crocodiles ! s'exclama la femme.

— Je vais te punir pour t'être moquée de moi, lança-t-il.

Il bondit sur elle, la saisit par une jambe et l'emporta sous l'eau où il la dévora.

18. LE PARTAGE

*S'associer avec plus puissant que soi peut s'avérer
dangereux.*

L e lion, l'hyène et le chacal s'étaient associés
pour chasser dans la savane. Ils attrapèrent
un buffle, un gnou et une mangouste*.

— Tu vas effectuer le partage, ordonna le lion à
l'hyène.

— Il serait équitable que tu reçoives le buffle,
répondit-elle. Le chacal prendra la mangouste. Et
moi, je me contenterai du gnou.

Le lion rugit de colère en l'entendant et lui assena un tel coup sur la tête qu'il lui brisa la nuque. La malheureuse mourut sur-le-champ.

Le lion s'adressa alors au chacal.

— À toi de faire le partage.

— Eh bien, dit le chacal, le buffle sera parfait pour ton déjeuner et le gnou pour ton dîner. Quant à la mangouste, tu pourras la manger demain matin à l'heure du petit déjeuner.

— Depuis quand fais-tu preuve d'autant de sagesse ? demanda le lion.

— Depuis que j'ai le privilège de pouvoir t'observer de près, répondit le chacal avant de s'éloigner.

19. L'HOMME ET LA TORTUE

L'amitié n'a pas besoin de poivre pour pleurer[1].

L'homme et la tortue étaient amis. On les voyait sans cesse ensemble.

Un jour, l'homme invita la tortue à dîner chez un de ses oncles. Elle accepta. Ils partirent le lendemain matin et marchèrent dans la savane durant de longues heures. Ils parvinrent à destination en milieu d'après-midi. Ils furent accueillis dans la case réservée aux invités.

1. Proverbe africain.

— Vous devez être affamés, dit l'oncle avant de demander à sa femme de leur servir du mil.

Dès que sa tante eut apporté le plat, le neveu constata qu'il n'était pas très copieux. « Si je le partage avec la tortue, se dit-il, je n'aurai pas de quoi calmer ma faim. » Il décida donc de manger le mil tout seul. Mais pour cela il fallait éloigner son amie.

— Tu ne peux pas manger avec des pattes aussi sales, lui lança-t-il. Va vite les laver au marigot.

La tortue accepta. Dès qu'elle fut sortie, l'homme entama le plat.

— Mes pattes sont propres, dit la tortue après avoir regagné la case.

— Mais non, elles sont encore pleines de terre.

La malheureuse en convint et dut retourner au marigot. Elle se lava les pattes à nouveau, mais les salit en revenant. Elle dut repartir. Elle finit par se rendre compte qu'au cours de ses va-et-vient le mil diminuait dans le plat et elle comprit le manège de son ami. « Il me renvoie chaque fois au marigot pour pouvoir tout manger. »

Très contrariée de se voir ainsi flouée, la tortue se jeta dans le mil.

— Es-tu devenue folle ? dit l'homme avec colère.

Puis il la saisit fermement par une patte, la tira du plat et se mit à lécher avec application sa carapace couverte de mil. D'abord le dessus, puis le dessous. La tortue était furieuse. Quand il voulut lécher sa tête, elle lui prit la langue et la maintint serrée entre ses mâchoires.

— Lâche-moi, dit-il, tu me fais mal.

— Non !

— Je t'en supplie, lâche ma langue.

— Pas avant que tu m'aies emmenée au fleuve.

L'homme sortit de la case et courut, la tortue suspendue au bout de sa langue. Il arriva vite au bord de l'eau.

— Vas-tu enfin me lâcher ?

— Pas avant que tu sois entré dans le fleuve.

L'homme obéit. Dès qu'il eut de l'eau à hauteur de la taille, la tortue lâcha sa langue et prit la fuite en nageant. Personne ne la revit jamais.

C'est depuis ce jour que certaines tortues, fâchées avec les hommes, ont choisi de quitter la terre pour vivre dans l'eau.

20. LE SINGE PRIS
À SON PROPRE PIÈGE

«Ce n'est pas aux vieux singes que l'on apprend à faire des grimaces», dit l'adage. C'est pourtant le lièvre qui l'emporte dans ce conte.

L e singe était vieux et éprouvait de plus en plus de difficultés à chasser. Il lui arrivait parfois de rester plusieurs jours sans manger. Il errait dans la savane en espérant trouver quelques œufs dans un nid ou les restes d'une proie abandonnée par un fauve. Ce jour-là, il était parti à l'aube. Il avait marché en vain jusqu'au moment où le soleil, parvenu au zénith, était devenu si chaud qu'il l'avait contraint à s'abriter sous un grand arbre. Il venait de s'asseoir sur une des racines noueuses dépassant du sol, quand il entendit une voix lui dire :

— Pousse-toi donc de là, tu t'es assis sur mes pieds !

Il leva la tête, interloqué.

— Est-ce bien toi qui me parles, arbre ? demanda-t-il.

— Je n'aime pas du tout qu'on m'appelle arbre, répliqua la voix.

Et aussitôt une branche s'inclina avec force pour frapper l'animal. Il la vit arriver mais ne parvint pas à esquiver complètement le coup que l'arbre voulait lui donner. Il fut touché à la tête et roula sur le sol où il demeura groggy quelques instants avant de se relever. « Je l'ai échappé belle, se dit-il, cette branche aurait pu me tuer. »

L'arbre n'avait rien de commun avec tous ceux que le singe avait vus jusque-là. Il pouvait être un piège à animaux très efficace. Le singe imagina très vite tout le parti qu'il en tirerait et décida de l'utiliser pour chasser. Il attendit l'arrivée d'une proie. Un moment après apparut un lycaon*.

— Viens te reposer à l'ombre, lui proposa le singe.

Le chien sauvage accepta et vint s'asseoir sur une des grosses racines. Immédiatement la voix se fit entendre :

— Ne vois-tu pas que tu es assis sur mes pieds ?

— Mais qui parle... c'est l'arbre? bredouilla le lycaon.

À peine eut-il prononcé le mot fatal qu'une branche vint le frapper violemment sur la nuque. Le singe sourit, satisfait que son plan fonctionnât. Il s'approcha du lycaon inerte, le saisit et le traîna à l'écart pour le manger.

Repu, il rentra ensuite chez lui.

Il revint le lendemain et décida de s'installer non loin de l'arbre qui dorénavant le nourrirait. Il vit mourir une mangouste, un dik-dik*, un phacochère et bien d'autres encore.

Un jour, le lièvre se montra. Il lui était arrivé de jouer de mauvais tours au singe, et ce dernier se réjouit à l'idée de pouvoir le compter parmi ses victimes. Et puis sa chair avait la réputation d'être délicieuse. Le singe se frottait déjà les mains en le voyant approcher.

— Viens t'asseoir un peu à l'ombre, lui dit-il.

— Où? demanda le lièvre.

— Là!

— Où là?

— Sur cette racine.

Ils s'assirent côte à côte, et la voix se fit encore entendre :

— J'en ai assez qu'on s'assoie sur mes pieds.

Le singe se tint coi. Mais le lièvre sursauta et montra l'arbre de la patte.

— C'est lui qui parle ! dit-il avec surprise.

— Qui lui ? demanda le singe dans le but de lui faire prononcer le mot fatal.

— Celui que je n'avais jamais entendu parler jusqu'ici.

— Qui ?

— Celui à l'ombre duquel nous nous trouvons.

— Tu ne t'exprimes pas très clairement.

— Tu m'as pourtant compris, dit le lièvre.

— C'est vrai, mais il eût été plus simple de dire que tu n'avais jamais entendu parler un...

— Un quoi ?

— Un arbre, laissa stupidement échapper le singe.

Aussitôt la branche le frappa. Et il mourut, pris à son propre piège.

21. L'AMITIÉ

❦

Voici un conte sur l'amitié entre un enfant et un lionceau.

Un garçon et un lionceau étaient nés le même jour dans la savane. Ils ne vivaient pas très loin l'un de l'autre et jouaient souvent ensemble. Ils finirent par devenir très amis.

Un matin, la mère du lionceau partit chasser. Elle croisa celle de l'enfant.

— Épargne-moi, supplia la femme.

La lionne ne voulut rien entendre et la tua. Le lionceau refusa de manger la mère de son ami. Il creusa un trou et l'enterra. La lionne en fut très contrariée.

— Je m'épuise à chasser pour te nourrir, et tu refuses ce que je rapporte, lui reprocha-t-elle. Ton comportement est inadmissible.

— On ne mange pas la mère d'un ami, même quand on est affamé, répliqua le lionceau.

— Les hommes ne sont pas les amis des lions, rétorqua-t-elle.

— Et pourquoi pas ?

Le ton monta et survint l'inévitable. La lionne abandonna son lionceau. Ce dernier essuya quelques larmes avant de rejoindre le garçon à qui il raconta ce qui venait de se passer. Ils jurèrent de rester toujours amis et de s'entraider, puis décidèrent d'aller s'établir ailleurs.

Ils partirent, marchèrent durant quelques jours vers le sud et s'installèrent près d'un point d'eau où le gibier ne manquait pas. Ils chassaient ensemble. Le jeune lion avec ses griffes et ses dents. Le garçon avec l'arc qu'il avait fabriqué. Au début, ils étaient maladroits. Mais, en grandissant, ils devinrent de plus en plus habiles.

Une nuit où ils s'enfonçaient dans de hautes herbes éclairées par les rayons froids de la pleine lune, le jeune homme prit conscience de sa nudité.

— Cela ne te gêne pas de vivre tout nu ? demanda-t-il à son ami.

— Non, je fais comme tous les animaux !

— Moi, j'aimerais porter un pagne, dit l'adolescent.

— On va essayer de t'en trouver un.

Quelques jours plus tard, ils rencontrèrent un marchand ambulant. Le fauve bondit, le projeta au sol et l'y maintint.

— Pitié, supplia le marchand. Je vous donnerai tout ce que je possède si vous me laissez en vie.

— Je ne veux qu'un pagne, dit le jeune homme.

— Je vais te le donner.

L'animal relâcha son étreinte, et le marchand se releva.

— Choisis, dit ce dernier après avoir déplié plusieurs pagnes.

L'adolescent prit le plus beau. Les deux amis étaient heureux de vivre et de chasser ensemble. Ils grandirent et devinrent adultes sans jamais s'être querellé. Le lion était puissant et majestueux. L'homme, grand, fort et courageux.

— J'ai atteint l'âge de me marier, lança un jour ce dernier.

— Eh bien, nous allons nous mettre en quête d'une femme, dit le lion.

Les deux amis parcoururent la savane et trouvèrent un village.

— Reste caché derrière une case et n'interviens que quand je te ferai signe, dit le lion.

Dès qu'il aperçut une jeune fille sur la place du village, le fauve bondit, la saisit, la contraignit à s'allonger et la maintint au sol sans lui faire de mal. Elle avait plusieurs prétendants, qui accoururent en entendant ses cris.

Le père de la jeune fille les rejoignit rapidement. C'était le chef du village.

— Celui qui tirera ma fille des griffes de ce lion aura le droit de l'épouser, dit-il.

Chaque fois qu'un des prétendants tentait de l'attaquer, le lion poussait un tel rugissement qu'ils prirent la fuite l'un après l'autre. Le fauve fit ensuite un geste de la tête, et son ami approcha.

— Si je parviens à éloigner ce lion, accepterez-vous de me donner votre fille en mariage? demanda-t-il au père.

— Avec plaisir, dit le chef du village.

Le nouveau prétendant se tourna vers le fauve.

— Lâche-la et déguerpis si tu ne veux pas avoir affaire à moi, dit-il avec fermeté.

Le lion s'éloigna. Le mariage fut célébré, et le chef du village fit construire une case pour le couple. Chaque matin, le lion venait chercher son ami, et ils partaient chasser ensemble.

Quelques années plus tard, l'homme épousa une seconde femme et fit construire une case où elle s'installa. Il continua de chasser avec le lion comme il l'avait toujours fait. Mais la seconde femme n'aimait pas le fauve. Elle prétendait qu'il sentait mauvais.

— Son odeur m'indispose, répétait-elle. Il faut lui interdire de venir ici.

Le mari la laissait parler sans réagir, persuadé qu'elle finirait par se lasser. Mais ce ne fut pas le cas. Elle décida de se débarrasser du lion et paya un homme pour le tuer. Armé d'un arc, celui-ci se cacha derrière le baobab du village et attendit le fauve. Dès qu'il l'aperçut, il décocha une flèche qui lui transperça la gorge. Le lion prit la fuite. Il courut et s'éloigna du village. Bientôt la force lui manqua. Il tituba et fut contraint de s'arrêter.

Quand le mari apprit le forfait de sa seconde épouse, il se précipita sur les traces du lion et le découvrit étendu sous un acacia. Son corps était froid. Il comprit qu'ils ne chasseraient plus jamais ensemble, et une profonde tristesse l'envahit. Il creusa et l'enterra. Il ne voulait pas qu'il fût la proie des charognards. Il erra ensuite tristement dans la savane durant de longs jours. Il finit par rentrer chez lui et, après s'être séparé de sa seconde femme, il put peu à peu recommencer à chasser sans son ami.

22. L'ÉLÉPHANT, LE RHINOCÉROS ET LA TORTUE

C'est en faisant preuve de ruse que la tortue peut s'imposer face aux animaux les plus puissants.

U n matin, la tortue alla rendre visite à l'éléphant.

— Tout le monde croit que tu es l'animal le plus fort de la savane, alors qu'en fait j'ai beaucoup plus de force que toi, lui dit-elle.

L'éléphant pouffa de rire.

— Déguerpis si tu ne veux pas que je t'écrase, répliqua-t-il.

— Je te propose un combat demain à la même heure. Je viendrai avec une corde. Chacun tirera de son côté, et nous verrons bien qui est le plus fort.

L'éléphant accepta. Alors la tortue alla voir le rhinocéros.

— On t'entend toujours te vanter de ta force, mais je suis beaucoup plus forte que toi, dit-elle.

— Tu plaisantes, répondit le rhinocéros.

— Pas du tout! Demain, j'apporterai une corde, et nous tirerons chacun de notre côté pour savoir lequel est le plus fort.

Le lendemain matin, la tortue donna à l'éléphant une des extrémités de sa longue corde. Il la saisit avec sa trompe.

— Ne commence à tirer que lorsque tu m'entendras crier, lui dit-elle.

Elle déroula la corde et la fit passer au-dessus de la colline qui séparait l'éléphant du rhinocéros et les empêchait de se voir. Elle tendit l'autre extrémité à ce dernier, qui la prit entre ses dents.

— Attends que je sois à l'autre bout et que je crie pour commencer à tirer, lui dit-elle.

Elle monta sur la colline en suivant la corde. Arrivée en haut, elle se cacha sous des broussailles et attendit un moment avant de donner le signal.

— Tire, cria-t-elle.

L'éléphant et le rhinocéros s'arc-boutèrent sur leurs quatre pattes et tirèrent. Mais aucun ne fut capable de faire bouger l'autre. Ils tirèrent encore. Ils tirèrent de toutes leurs forces. En vain.

— Arrêtons-nous, finit par crier la tortue comme si elle était lasse de lutter.

Elle sortit de sa cachette et alla voir l'éléphant puis le rhinocéros. L'un et l'autre admirent alors qu'elle était beaucoup plus forte qu'ils ne l'auraient cru. Comme il lui avait été facile de berner d'aussi gros animaux, la tortue décida de recommencer avec d'autres. Depuis, ils sont de plus en plus nombreux à se méfier d'elle dans la savane.

À trompeur, trompeur et demi.

Cette année-là, les pluies avaient été rares. Brûlée par le soleil, la savane souffrait. La famine décimait les troupeaux, et les prédateurs trouvaient de moins en moins de proies.

La faim avait contraint l'hyène et le chacal à faire alliance pour chasser.

Tous deux marchaient côte à côte, le ventre vide, quand ils aperçurent à l'écart du chemin un phacochère qui venait de mourir et que des vautours* commençaient à dépecer.

Chacun pensa qu'il était seul à l'avoir vu et se garda bien d'en parler à l'autre afin d'éviter d'avoir à partager. Les deux compères poursuivirent leur marche et au bout d'un moment trouvèrent de bonnes raisons pour se séparer.

Ils projetaient de retourner discrètement sur leurs pas pour s'approprier la viande.

L'hyène partit à droite, et le chacal à gauche. Après un long détour, ils se retrouvèrent nez à nez devant le cadavre. Ils commencèrent par éloigner les charognards. Et comme l'hyène était plus forte que lui, le chacal proposa de partager le phacochère.

— Il est trop maigre pour nous rassasier tous les deux, dit l'hyène. Il reviendra au plus âgé de nous deux.

— Si tu veux, acquiesça l'autre qui n'avait pas le choix.

— Je suis née en même temps que le monde et aussi vieille que lui, déclara l'hyène. Je suis donc plus âgée que toi.

À ces mots, le chacal éclata en sanglots.

— Ne pleure pas, dit-elle, tu es jeune et la vie t'offrira des phacochères plus gros que celui-ci. Il suffit juste d'être patient.

— Je ne pleure pas à cause de la viande, comme tu le crois, mais parce que ta naissance me rappelle un triste souvenir. Elle correspond au jour où mon fils est mort. Tu vois bien que je suis plus âgé que toi.

Le chacal venait de se montrer plus malin que l'hyène. Celle-ci dut renoncer au phacochère et se retira sans mot dire.

24. LE CONSEIL DE LA TORTUE

«Ne donne pas de conseils à moins qu'on ne t'en prie[1].»

U n jour, la tortue s'adressa aux animaux. À ceux vivant sur la terre. À ceux vivant dans l'eau. À ceux vivant dans les airs.

— Mes amis, leur dit-elle, j'ai une information importante à vous donner.

— Il ne se passe rien dans la savane que nous ne sachions déjà, interrompit l'impala*.

— Qu'a-t-elle encore trouvé ? ironisa le silure.

1. Érasme.

— Laissez parler la tortue ! lança l'aigle.

— Mes amis, poursuivit-elle, j'ai découvert une plante très dangereuse pour les animaux. Je propose que nous la détruisions sans attendre.

— De quelle plante s'agit-il ? demandèrent les uns.

— Est-ce une plante carnivore ? interrogèrent les autres.

— Pas du tout, dit la tortue. Il s'agit du chanvre*, qu'un homme cultive depuis peu non loin d'ici.

Une grande partie des animaux haussèrent les épaules. Mais quelques-uns voulurent voir à quoi ressemblait cette plante dont ils n'avaient jamais entendu parler. La tortue les conduisit jusqu'au champ. Le plus courageux goûta aux feuilles de chanvre et les trouva très amères.

— Nous n'avons rien à craindre de cette plante, dit-il au bout d'un moment. J'y ai goûté et je suis toujours en vie.

Alors ceux qui s'étaient déplacés quittèrent le champ en se moquant de la tortue.

Quand vint le temps de la récolte, l'homme coupa le chanvre et en fit de la corde. Il en prit un morceau, le tendit entre les deux extrémités d'une branche souple et obtint un arc. Pour l'essayer, il tira une flèche et toucha l'aigle, qui s'écrasa au sol. Pendant qu'il s'éteignait, la tortue s'approcha.

— Si tu avais accepté de détruire le chanvre, lui murmura-t-elle, tu continuerais de voler dans le ciel.

L'homme coupa ensuite un long morceau de corde qu'il attacha à un bâton. Il accrocha un hameçon à l'autre bout et obtint une canne à pêche. Puis il se rendit au bord du fleuve. Il en sortit très vite le silure. Il le décrocha et le jeta sur le sable de la berge où il mourut lentement.

— Tu continuerais de nager dans le fleuve, si tu avais écouté mes conseils et détruit le chanvre, lui dit la tortue.

L'homme prit un autre morceau de corde et en fit un collet qu'il posa dans la savane. L'impala se fit prendre. En se débattant, il chuta et se brisa une patte. La tortue lui parla tandis que le chasseur s'approchait pour le tuer.

— Si seulement tu avais écouté mes conseils et détruit le chanvre, tu continuerais de courir dans la savane, lui dit-elle.

C'est ainsi que les animaux commencèrent à souffrir de la présence de l'homme et payèrent durement le fait de ne pas avoir pris au sérieux le conseil de la tortue.

25. LE SINGE ET LE LIÈVRE

À chacun ses proverbes, ses sentences et ses maximes. En Afrique, on dit : «Le léopard ne se déplace pas sans ses taches.» Ici : «Chassez le naturel, il revient au galop.»

L e singe et le lièvre étaient amis. Ils avaient rendez-vous plusieurs fois par semaine sous un acacia où ils se retrouvaient aux heures les plus chaudes de la journée. En cas de danger, le singe pouvait rapidement grimper dans l'arbre et le lièvre se réfugier dans un trou au pied du tronc.

Ce jour-là, comme à leur habitude, ils échangeaient les derniers potins de la savane. Tout en conversant, chacun laissait libre cours à son tic familier.

C'est ainsi que le singe se grattait à intervalles réguliers en donnant trois ou quatre coups de patte successifs sur son pelage, tandis que le lièvre tournait sans cesse la tête d'un côté puis de l'autre.

— Depuis que je te connais, je te vois te gratter à tout instant, dit le lièvre à son compère. Cesseras-tu jamais ?

— Et toi, t'arrêteras-tu un jour de tourner sans arrêt la tête dans tous les sens ? répliqua le singe.

— Il suffit que j'en prenne la décision.

— Je doute que tu puisses rester longtemps sans bouger.

— Je parie que je tiendrai plus longtemps que toi, dit le lièvre.

— Essayons, nous verrons bien.

— Celui qui bougera le premier aura perdu.

Les deux amis cessèrent de faire le moindre mouvement. Mais très vite, leur immobilité leur fut insupportable. À l'idée qu'un danger pût surgir, le lièvre sentait monter en lui une angoisse irrésistible. Quant au singe, son pelage le démangeait tant qu'il serrait les dents pour ne pas céder à l'envie de se gratter. Une heure s'écoula qui leur parut une éternité. Si bien que le lièvre décida de faire une proposition à son compère.

— Au fait, lui dit-il, notre pari ne nous empêche pas de parler et de raconter des histoires pour rendre le temps moins long.

— Tu as raison, répondit le singe.

— Un jour de saison sèche, commença le lièvre, j'avais été contraint de m'éloigner inconsidérément de mon terrier pour trouver de la nourriture. Je fus pris en chasse par des hyènes. Il en venait de tous côtés. À droite, à gauche. Devant, derrière...

Tout en racontant, le lièvre mimait et regardait dans les différentes directions dont il parlait. Le singe l'interrompit.

— Figure-toi que j'ai craint aussi pour ma vie, quand j'étais plus jeune, dit-il. Des chasseurs armés d'arcs nous avaient pris pour cibles, mes frères et moi. Plusieurs flèches sifflèrent à nos oreilles. J'eus la chance de n'être atteint par aucune. Mais l'un de nous fut touché. Il reçut une flèche ici, une autre là, une autre encore dans la jambe...

Et comme le lièvre, le singe mimait. Il montrait chaque fois la partie du corps touchée par la flèche et en profitait pour la gratter, faisant ainsi cesser ses démangeaisons.

Alors les deux amis pouffèrent de rire. Ils convinrent qu'ils ne parviendraient jamais à changer. Et aucun des deux ne gagna le pari. De toute façon, ils avaient omis d'en fixer l'enjeu.

26. LE CHASSEUR, LE BOA ET LES CALEBASSES MAGIQUES

Choisir, c'est renoncer à quelque chose.

U n nuage de poussière brique s'élevait au-dessus de la savane. Les sabots des gnous, des zèbres et des gazelles, qui fuyaient la sécheresse, martelaient la terre craquelée. Comme chaque année à la même époque, les troupeaux migraient vers une région où ils trouveraient de l'eau. Le voyage serait long, épuisant, parfois dange-reux, et les plus faibles ou les moins chanceux n'en reviendraient pas. Gnous, zèbres et gazelles n'avaient guère le choix. Ils devaient prendre ce risque s'ils voulaient survivre.

Un chasseur les regardait s'éloigner. En attendant leur retour, il lui faudrait traquer d'autres animaux. Il posa ses pièges et n'attrapa rien durant huit jours. Il pensa qu'il était victime d'un féticheur, mais s'obstina. Au bout de trois semaines, il captura enfin un boa. Il leva sa sagaie pour l'achever. Le serpent le supplia de l'épargner et le chasseur interrompit son geste.

— Pourquoi te laisserais-je en vie ? Est-ce que toi et les tiens avez coutume d'épargner les hommes ?

— Je ne t'ai jamais fait le moindre mal, dit le boa.

— C'est vrai, reconnut le chasseur, mais je n'ai rien mangé depuis plusieurs jours. Je suis pauvre et je n'ai pas le choix : je dois te tuer pour survivre.

— Épargne-moi, et je ferai de toi un homme riche.

— Tu racontes n'importe quoi pour essayer de m'amadouer.

— Ne me tue pas, et tu deviendras riche, répéta le boa. Ton destin est entre tes mains. Ou la richesse ou la pauvreté. Ou le bonheur ou la misère. Réfléchis bien.

— Si je t'épargne, je crains que tu n'en profites pour m'attaquer.

— Tu n'as aucune crainte à avoir.

— Les contes de mon grand-père m'ont appris à être prudent, surtout avec les serpents.

— Tu as raison de l'être. Mais ce que disent les contes est parfois très éloigné de la réalité.

— Pas du tout.

— Les animaux de la savane sont semblables aux hommes. Il y en a de bons et de mauvais.

— Et qui me prouve que tu ne fais pas partie des mauvais ?

— Je ferai de toi un homme riche si tu consens à m'épargner, insista le boa.

Le chasseur planta sa sagaie dans le sol, tira son poignard et coupa les mailles du filet qui retenait le serpent.

— Tu n'auras pas à le regretter, dit ce dernier avant d'inviter l'homme à le suivre.

Il le conduisit au royaume des reptiles. Dans ce pays, le temps semblait en suspens. Celui qui y vivait mille ans avait l'impression de n'y avoir séjourné qu'un instant. Le boa offrit au chasseur deux calebasses.

— Dès que tu seras rentré chez toi, lui dit-il, jette la plus petite par terre. En se brisant, elle fera de toi un homme riche et te permettra en outre de comprendre le langage des animaux. Conserve la seconde, elle te sera utile plus tard.

L'homme remercia et prit congé. Il courut en serrant dans ses bras les deux calebasses. Arrivé chez lui, il brisa la plus petite. Aussitôt sa case se transforma en un immense palais de terre crue. Il était rempli de mille richesses. Tout autour vivaient des lions, des hyènes, des chacals, des rongeurs, des oiseaux et beaucoup d'autres animaux dont le chasseur comprenait parfaitement le langage. Le boa n'avait pas menti.

Les troupeaux de gnous, de zèbres et de gazelles revinrent. L'homme continua de chasser pour son plaisir. Quand il lui arrivait de rentrer bredouille, cela lui était égal, car il ne manquait plus de rien. Il épousa plusieurs femmes, eut de nombreux enfants et mena une vie heureuse.

Trente années s'écoulèrent au cours desquelles il perdit plusieurs proches et de nombreux amis. Plus il vieillissait et plus la mort frappait son entourage. Un matin où il était parti à la chasse de bonne heure, il surprit une conversation entre deux gazelles qui s'entretenaient à son sujet.

— C'est l'assassin de ma sœur, dit tristement la plus jeune.

— Nous n'aurons bientôt plus rien à craindre de lui, car la mort le guette, répondit l'autre. Elle pourrait bien le frapper aujourd'hui, à l'heure où les ombres ont tant rapetissé qu'elles semblent vouloir disparaître.

— Rien n'est moins sûr ! Il paraît qu'il possède une calebasse qui a le pouvoir d'éloigner la mort. Et s'il la brise, il sera sauvé. Mais il perdra alors toutes ses richesses et devra parcourir à nouveau la savane pour survivre.

— Il faudrait lui voler sa calebasse.

— Inutile d'y penser, son palais est trop bien gardé.

Le chasseur éprouva une profonde inquiétude en entendant les deux gazelles. Il fit aussitôt demi-tour et regagna rapidement son palais. Il retrouva la calebasse, couverte de poussière, là où il l'avait rangée trente ans plus tôt, dans une niche creusée au sein d'un épais mur de terre rouge. Puis il ouvrit ses coffres et regarda l'or, les pierreries et les bijoux qu'ils contenaient.

De temps à autre, il se mettait à la fenêtre pour surveiller la progression du soleil. Il aurait aimé pouvoir l'empêcher de s'élever dans le ciel et permettre ainsi aux arbres de conserver leurs ombres étirées.

Le dilemme était grand. Vivre pauvrement ou mourir riche. Il hésitait, allant de la calebasse à ses coffres et de ses coffres à la calebasse, tandis que le soleil poursuivait sa course. Une fois pauvre, la chance lui sourirait-elle à nouveau ? Parviendrait-il à retrouver sa fortune ? Ne valait-il pas mieux, en renonçant à la vie, permettre à ses enfants d'hériter de ses richesses ?

Midi approchait. Il saisit la calebasse et hésita encore...

À sa place, qu'auriez-vous fait ?

GLOSSAIRE

Acacia : Arbre de 2 à 6 mètres de haut, à la cime très étalée en forme de parasol. Doté d'épines protectrices, il a une écorce épaisse et imperméable, qui renferme des substances ignifuges et évite une trop grande évaporation.

Baobab : Cet arbre, seigneur de la savane, a un tronc énorme (jusqu'à 20 mètres de circonférence) surmonté d'une touffe de branches. Son tronc volumineux est gorgé d'eau qui sert de réserve pendant la saison sèche. Certaines tribus africaines utilisent les fibres de son tronc pour fabriquer des cordes et cueillent ses feuilles et ses fruits pour préparer des soupes et des boissons.

Boubou : Long vêtement traditionnel.

Calao : Oiseau caractérisé par un énorme bec surmonté d'un casque. Le grand calao terrestre est carnivore, contrairement aux autres espèces. Il vit en bande regroupant une dizaine d'individus qui arpentent le territoire à la recherche de petits animaux.

Calebasse : Fruit du calebassier. Coupé en deux, évidé et séché, ce demi-fruit est utilisé comme récipient.

Cercopithèque : Singe à longue queue.

Chanvre : Plante à feuilles en palmes, cultivée pour sa tige, fournissant une excellente fibre textile.

Dik-dik : Race de gazelles très petites.

Féticheur : Sorcier des religions traditionnelles africaines.

Fromager : Grand arbre d'Afrique parfois gigantesque.

Gerenouk : Gazelle-girafe. Le gerenouk se dresse sur ses pattes pour attraper les feuilles le plus haut possible.

Gnou : Mammifère au corps lourd, à la tête épaisse et velue, aux membres grêles, qui rappelle l'antilope par le corps, le taureau par la tête et les cornes, le cheval par la queue et la crinière.

Gri-gri : Amulette des peuples noirs de l'Afrique que l'on dit magique et qui aurait le pouvoir de guérir, de porter bonheur ou malheur.

Grue : Oiseau échassier migrateur. La grue craquette, glapit, trompette.

Hyène : Mammifère carnassier dont les pattes postérieures sont plus courtes que les pattes antérieures. L'hyène hurle.

Igname : Gros tubercule consommé en purée, en frites ou en pâte cuite.

Impala : Antilope africaine. L'impala saute jusqu'à 2,5 mètres de haut, et ses bonds peuvent atteindre 10 mètres de long.

Lycaon : Chien sauvage vivant en bande. Comme l'hyène, il chasse à la poursuite et peut suivre un gnou ou une gazelle durant plus de 7 kilomètres.

Mangouste : Petit mammifère carnivore, rappelant la belette. La mangouste atteint 50 centimètres de long, attaque les serpents, même venimeux, et est immunisée contre leur venin.

Marabout : Grand oiseau échassier, au plumage gris et blanc, au bec énorme et dont le cou, déplumé, est enfoncé entre les ailes.

Marigot : Pièce d'eau stagnante.

Mil : Graminée cultivée dans les régions de savane.

Oryx : Antilope aux cornes longues et légèrement incurvées.

Ouokolo : Génie nain en langue bambara.

Pagne : Vêtement primitif d'étoffe ou de feuilles, qu'on ajuste autour des reins et qui sert de culotte ou de jupe.

Pain de singe : Fruit du baobab. De la taille d'une petite citrouille, il est riche en vitamine C.

Phacochère : Mammifère voisin du sanglier, à défenses incurvées.

Sagaie : Lance.

Silure : Poisson d'eau douce portant six longs barbillons autour de la bouche.

Suricate : Mammifère carnivore, voisin de la mangouste. Souvent redressé sur ses pattes postérieures pour surveiller les environs. À la moindre alerte, la sentinelle pousse un cri, et toute la troupe fuit au fond du terrier. Chassant au flair, il s'attaque aux insectes, rongeurs, oiseaux et autres petits mammifères.

Tam-tam : Tambour en usage en Afrique noire comme instrument de musique ou pour la transmission des messages.

Termite : Insecte vivant en société, composée d'une femelle pondeuse à énorme abdomen (la reine), d'un mâle (le roi), de nombreuses ouvrières, qui assurent la construction de la termitière et apportent la nourriture, et de soldats, chargés de la défense.

Tisserin : Oiseau d'Afrique équatoriale, ainsi nommé pour son habileté à tisser un nid suspendu. On peut voir dans la savane, accrochés côte à côte aux branches des acacias, les nids des tisserins qui forment de véritables colonies.

Vautour : Oiseau rapace diurne, de grande taille, au bec crochu, à tête et cou dénudés, se nourrissant de charognes.

Jean Muzi

L'auteur est né à Casablanca. Après une enfance marocaine, il fait des études de lettres, de cinéma et d'arts plastiques à Paris. Il aime voyager et connaît bien le monde arabe. Il a deux enfants. Il a longtemps conçu et réalisé des films industriels ou pédagogiques. Aujourd'hui, il s'oriente vers le film documentaire. Passionné par la photographie, homme d'images, il aime aussi les mots. Ses activités oscillent entre l'écriture et le film. Il a beaucoup travaillé sur le conte traditionnel et continue de le faire tout en écrivant des textes plus personnels. Il rencontre ses lecteurs dans les bibliothèques, les écoles ou les collèges. Il aime échanger avec eux et leur lire des textes qu'il vient d'écrire. Le plaisir de dire se mêle alors au besoin de tester en direct. Il anime aussi des ateliers d'écriture. Plusieurs de ses livres ont été traduits en espagnol, portugais, italien, chinois, catalan et basque.

Frédéric Sochard

L'illustrateur est né en 1966. Après des études aux Arts décoratifs, il travaille comme infographiste et fait de la communication d'entreprise, ce qui lui plaît beaucoup moins que ses activités parallèles de graphiste traditionnel : création d'affiches et de pochettes de CD. Depuis 1996, il s'autoédite et vend « ses petits bouquins », de la poésie, sur les marchés aux livres. Pour le plaisir du dessin, il s'oriente désormais vers l'illustration de presse et la jeunesse. Et avec tout ça, il a trouvé le temps de faire plusieurs expositions de peinture...

TABLE DES MATIÈRES

Imprimé à Barcelone par:
BLACK PRINT

Dépôt légal : juillet 2011
N° d'édition : L.01EJEN000665.A005
Loi n° 49-956 du 16 juillet 1949
sur les publications destinées à la jeunesse